Dal i Fod

Dal i Fod

Elin ap Hywel

Ⓟ Elin ap Hywel / Cyhoeddiadau Barddas ©
Argraffiad cyntaf: 2020
ISBN: 978-1-911584-36-0

Cyhoeddwyd gan Gyhoeddiadau Barddas.

www.barddas.cymru

Cyhoeddwyd gyda chymorth ariannol Cyngor Llyfrau Cymru.
Llun y clawr: Marged Elin Thomas.
Argraffwyd gan Wasg Gomer, Llandysul.

Cyhoeddwyd fersiynau o rai cerddi sydd yn y gyfrol hon mewn
cyhoeddiadau blaenorol gan gynnwys *Pethau Brau* (Y Lolfa, 1982),
Writing in the Wind: A Celtic Resurgence (New Native Press, 1997),
Oxygen: Beirdd Newydd o Gymru/New Poets from Wales (Seren,
2000), *Ffiniau* (Gwasg Gomer, 2002), *The Adulterer's Tongue*
(Caracanet Press, 2003), *Welsh Women's Poetry 1460–2001:
An Anthology* (Gwasg Honno, 2017) a'r *Traethodydd*.

i Hywel ac Efan

Cynnwys

Cyflwyniad

Nid cyd-ddigwyddiad mohono mai fel 'bardd answyddogol' y
deuthum ar draws gwaith Elin ap Hywel yn gyntaf. *Pethe Brau*
oedd teitl y gyfrol fechan honno o wasg Y Lolfa yn 1982, ac un
o gyfres nodedig y wasg ydoedd i arddangos barddoniaeth
lai traddodiadol ei naws. Ac onid 'pethe brau' ydym oll, ar
ryw olwg, yn fodau meidrol, clwyfedig sy'n dibynnu'n llwyr
ar ddŵr a goleuni, ymborth a chariad i'n cynnal yn wastadol?
Bwriad y gyfrol hon yw taflu goleuni ar waith un a fu yn yr
encilion i raddau fel bardd 'answyddogol'. Eto i gyd, yr hyn
sy'n eironig yw'r ffaith y bu'n bresenoldeb amlwg yn ein
barddoniaeth ar hyd y degawdau fel bardd â'i llais ei hun.

Anodd felly yw credu nad oes ganddi gyfrol gyfan i'w henw,
a hynny er yr holl flodeugerddi yr ymddangosodd ei cherddi
ynddynt, o'r Eidaleg i'r Gatalaneg. Fel y cyfeillion a aeth ati i roi
trefn ar gerddi Waldo a chyhoeddi *Dail Pren*, cymwynas debyg
a ddaeth i'm rhan innau, i gasglu ynghyd ei cherddi, a hynny
gyda chymorth cyfaill mynwesol arall i Elin, sef Beth Thomas.

Gresyn i'r gyfrol hon ddigwydd fel mater o raid gan fod
Elin yn dioddef o glefyd dementia, aflwydd sydd yn arbennig
o greulon i un sydd mor hydrin yn Gymraeg ac yn Saesneg.
Ergyd yw hefyd i'r sawl a lwyddodd i gyfieithu testunau dyrys a
chymhleth, yn gyfewin ac yn gywrain. Mae'n meddu ar drydedd
iaith, sydd efallai yn anhysbys i'r rhan fwyaf o bobl, sef ei gallu
i siarad Gwyddeleg. Pan oeddwn un tro yn cyd-ddarllen gyda'r
bardd Nuala Ní Dhomhnaill yn Iwerddon, dywedodd wrthyf iddi
glywed Elin unwaith yn siarad yr iaith honno mewn digwyddiad
a'i bod yn ei medru hi fel pe bai'n frodor o'r wlad. Tipyn o glod, yn
wir, a sylw sy'n dadlennu nodwedd arall y daeth llawer ohonom
i'w hadnabod am Elin, sef ei gwyleidd-dra anghyffredin.

Bu'r broses o gasglu ei cherddi yn bleser chwerwfelys felly
o gofio breuder ei chof, ond yr hyn sy'n disgleirio'n barhaus

(ac yn barhaol, gobeithio) yn ei cherddi yw'r dychymyg effro,
y syniadau annisgwyl a'i mynegiant ffres a dirodres. Y mae
un wedd arall sydd yn werth ei nodi, sef y ffaith iddi yn yr
wythdegau fod yn un o'r ychydig feirdd o ferched a oedd yn
barod i ddarllen eu gwaith yn gyhoeddus ac i arddel y gair
arswydus hwnnw, 'bardd'. Bu'n un o'r pedair aeth ati i greu
hanes drwy gyhoeddi rhifyn arbennig o'r *Traethodydd* yn 1986
gan ganolbwyntio ar lenyddiaeth gan ferched. Ac nid ofnodd
arddel y gair 'ffeminydd', rhywbeth a ddilornwyd gan rai beirniaid
yn yr wythdegau. Heriol a dweud y lleiaf oedd rhai o'i cherddi
'benywaidd', yn enwedig ei cherdd agoriadol yn y rhifyn hwnnw
yn dwyn y teitl pryfoclyd 'Pwy oedd chwiorydd Heledd?':

> Ystyriwch abswrdiaeth ei sefyllfa:
> proffwydes yn fferru ar y ffin,
> yn cwafro ar hyd y canrifoedd rhwng rheswm a rhigwm,
> yn dywysoges ar domen o atgofion. Dim arall,
> Casandrys o Gymraes heb ei chragen mewn dyfodol di-ddyn.

Geiriau beiddgar yw'r rhain a pha fardd arall a feddyliai
osod 'tywysoges' a 'thomen' yn yr un llinell? Ceir y gerdd
gyfan yn y gyfrol, sy'n dangos ei dawn arbennig wrth
greu naws, fel yn yr agoriad: 'Daw Heledd / o'r cysgodion
a llefaru ...'. Onid o'r cysgodion y daw hithau fel bardd
i lefaru yn *Dal i Fod* a'n tywys i oleuni ei hawen?

Pan enillodd Fedal Lenyddiaeth Eisteddfod Genedlaethol
yr Urdd, Bae Colwyn, yn 1980, dim ond deunaw mlwydd oed
ydoedd. Er i ddeugain mlynedd fynd heibio, bu'n weithgar mewn
sawl maes, nid yn unig fel bardd ond fel golygydd a chyfieithydd.
Bu'n awdur preswyl yn ysbyty Dinbych, preswyliad arloesol
ddegawddau yn ôl, gan annog cleifion seiciatryddol i ddod o hyd
i'w geiriau drwy gyfansoddi. Bu'n gyfieithydd i'r Amgueddfa
Genedlaethol am gyfnod, yn swyddog llenyddiaeth i Gyngor
y Celfyddydau, ac yn Gymrawd Ysgrifennu y Royal Literary

Fund ym Mhrifysgol Aberystwyth am nifer o flynyddoedd.
Cyflawnodd waith clodwiw fel golygydd cyntaf Gwasg
Honno cyn mentro ar ei liwt ei hun fel cyfieithydd. Elwodd
sawl bardd, minnau efallai yn fwy na neb wrth iddi gyfieithu
fy ngherddi Cymraeg i'r Saesneg ar gyfer gwasg Bloodaxe.
Ymddangosodd nifer o'i chyfieithiadau ym mlodeugerdd
Bloodaxe, *Modern Welsh Poetry* (2003), gan drosi gweithiau
mor astrus dafodieithol â 'Pwllderi' gan Dewi Emrys yn ogystal
â cherddi y cawr awenyddol T. Gwynn Jones. Rhannodd gyfrol
gyda Grahame Davies, *Ffiniau* (Gomer, 2002), a chyfieithodd
Si Hei Lwli gan Angharad Tomos i'r Saesneg (Gomer, 2004).

'Cyfaddawdu' oedd teitl y casgliad o gerddi a rhyddiaith
a enillodd iddi'r Fedal Lenyddiaeth flynyddoedd yn ôl ym
Mae Colwyn, ond mae'n air hynod ddadlengar, os nad
dadleugar, yng nghyswllt Elin. Ai bod yn gellweirus yr
oedd, tybed? Onid cyfaddawd, mewn ffordd, yw cyfieithu
a barddoni gyda'r cymrodeddu sy'n angenrheidiol wrth
bwyso a mesur, tafoli a thrin iaith. Oedi, hafalu a myfyrio yn
ddwys ar adegau yw'r galw wrth ddewis neu wrthod gair
neu ymadrodd. Cymerodd Elin y gwaith o gyfieithu o ddifri
gan ymroi yn llwyr i'r maes nes ei droi yn gelfyddyd.

Bu'n anodd imi gasglu'r cerddi ynghyd heb deimlo ar brydiau
yn hiraethlon. Ond buan y diflannai unrhyw deimladau prudd
wrth fod ym mhresenoldeb enaid hoff cytûn. Gyda gwên yr
awgrymodd y teitl 'Dal i Fod', un addas sy'n atgoffa rhywun
mai 'dal ati' a wna y rhan fwyaf ohonom a bod yn ymwybodol
o'n bodolaeth fer ar y ddaear hon. Nid 'enaid clwyfus', teitl a
dadogwyd ar lenor arall, mohoni ond enaid ac anian amddifad
o surni a hunandosturi. Personoliaeth sydd yn dal yn hwyliog
ei ffordd yw a'i hiwmor ffraeth yn wynebu'r byd yn eofn.

Cefais adnabod ei rhieni, y Parchedig Eifion Powell a'i
wraig Rebecca Powell, flynyddoedd cyn imi ddod i adnabod
Elin. Gwyddwn am Eifion nid yn unig fel gweinidog hynaws

ond hefyd fel bardd disglair; ac un a roddodd loches i gynifer ohonom pan oeddem yn protestio dros yr iaith yn Llundain yn y saithdegau ac yntau'n weinidog yn Harrow bryd hynny. Deuthum i wybod hefyd am Rebecca Powell fel bardd ac emynydd arobryn yn yr Eisteddfod Genedlaethol a chynhwysais un o'i cherddi yn y gyfrol *Hel Dail Gwyrdd*, y flodeugerdd gyntaf o farddoniaeth merched a gyhoeddwyd yn 1984 gan Wasg Gomer. Nid rhyfedd felly i Elin hithau etifeddu'r ddawn i farddoni ar aelwyd lengar. Byddem yn chwerthin yn fynych wrth arfer geiriau a glywem fel merched y mans, rhai fel 'telaid', 'llariaidd', 'gras', a'r pwysicaf oll, 'gostyngeiddrwydd'. Ymgorfforodd Elin y gair mawr hwnnw! Ac mae'r pedwar gair yna yn cyfleu'n berffaith bersonoliaeth addfwyn Elin ap Hywel.

Braint oedd golygu'r gyfrol hon a bod yng nghwmni un o chwiorydd Heledd ond un â'i bydolwg ymhell o fod 'ys tywyll heno', ond â'i channwyll yn dal yn olau. Hyfryd yw gallu gwahodd eraill i rannu ei dawn a'i gweledigaeth. A, gyda bendith arni, bardd yw sy'n 'dal i fod'.

Menna Elfyn

Lleidr yw dementia, lleidr sy'n dwyn galluoedd: y gallu
i ddweud faint o'r gloch yw hi; y map meddyliol sy'n ein
galluogi i ddilyn syniad neu broses o un cam i'r llall; y
gallu i ddod o hyd i eiriau sy'n mynegi ein teimladau.

Trin geiriau yw dawn arbennig Elin, yn fardd ac yn gyfieithydd.
Wrth ddwyn hynny oddi arni, mae'r lleidr wedi taro ergyd tu
hwnt o greulon. Ond nid dyna yw ei hanfod. Ei hanfod yw'r
person ystyriol, dwys a llawn hiwmor y tu ôl i'r geiriau.

Cawsom sgwrs yn ddiweddar amdani'n adnabod ffrindiau
ond ddim yn cofio pwy oedden nhw. 'Wel,' meddai, 'o leia rwy'n
gwybod eu bod nhw'n dal i fod a 'mod innau'n dal i fod.' A dyna
daro'r hoelen ar ei phen. Er gwaethaf yr hen leidr, mae Elin yr
anwylaf o ffrindiau yn dal i fod. A doed a ddêl, bydd ei dawn
geiriau yn awr ar gof a chadw yn y gyfrol werthfawr hon.

__Beth Thomas__

d a l   i   f o d

Pwy oedd chwiorydd Heledd?

Dychmygwch, os gwnewch, yr olygfa:
Pengwern, liw nos. Daw Heledd
o'r cysgodion a llefaru
rhibidires o englynion dolefus at y lloer.

Celwydd yw'r cyfan; does dim yn dawel heno,
wedi nacáu y normal. Mae'r cyfan
mor llyfn â llyn mis Awst i'r llygad.
Ond mae ambell glust yn clywed mwy na'i gilydd;
ust – yn y distawrwydd mae sgerbydau'n sibrwd.

Dim ond y hi sy'n gwrando, gwrando a dal i wrando
am na all hi edrych heb weld dwylo
difancoll ar y darlun. Heno
mae 'na gytgord yn y caos, heddwch
yng ngherdd aflafar angau.

Diffoddwyd aelwyd gwarineb.
Pa le mae pileri cymdeithas, cynefin a châr?
Heno, gwallgofrwydd sy'n gysefin,
ac mae heno yn tagu'r cof, yn dynn fel draenen.

Dim ond y hi sy'n clywed
llygod llwydion yr amheuon
yn cnoi wrth gwrlid yr hen sicrwydd,
a phryfed ei phwyll
yn turio yn nerwen y gorffennol.

Ystyriwch abswrdiaeth ei sefyllfa:
proffwydes yn fferru ar y ffin,
yn cwafro ar hyd y canrifoedd rhwng rheswm a rhigwm,
yn dywysoges ar domen o atgofion. Dim arall,
Casandrys o Gymraes heb ei chragen mewn dyfodol di-ddyn.

Pwy oedd chwiorydd Heledd
yn plethu porffor pasiant atgof
a düwch dolur?

A pha sawl Heledd
fu'n crwydro lonydd cefn hanes Cymru
a'u cywilydd yn glynu fel gelen wrth eu cydwybod
nes camu tu hwnt i'r ffin
sy'n beryclach na'r llinell ar fap rhwng
Cymro a Sais?

Brodwaith

Fe blethaist ti i'm gwallt
edafedd liwiau'r enfys,
a'th fysedd yn chwim
yn llunio
cymhlethdodau cywrain cariad,
cyn clymu pen pob plethen
mor dynn â defod ein serch.

Ond rhaffu celwyddau rwyt ti'n awr
ac mae tyndra cain y ffurfiau
yn llacio,
llwybrau labyrinthau
goslef a gweithred
yn unioni eto,
a phlethiad y galon
yn datod
fel plethiad y dyddiau
pan oeddem
un.

Cyn oeri'r gwaed

Marciau pensil
ar gyfrol o gywyddau.

Graffiti meddwl un
yn nodi cyffro'r cymundeb
â gwefr yr heli a'r golau'n llathru'n wyn
ar bluf gwylan Dafydd ap Gwilym,
ar wal ddi-sigl amser
ugain mlynedd a mwy yn ôl –
'Hoen ac ieuenctid rŵls ocê?'

Mae yma ysbryd bardd
sy'n awchus am lusgo paent llachar ei brofiadau
dros friciau byw,
a phaentio'r byd
yn wyrdd,
a choch,
a melyn,
ac oren,
a glas, –
wedi ei goffáu am byth
yn sgribliadau syn y graffiti llwyd;
bardd a ymbarchusodd
a heddiw'n gwthio
torlif y trydan sy'n melltennu'n enfys o gerdd
drwy wifrau tyn ei hiraeth.

O, doed imi'r doethineb
i fyw angerdd fy nghân
yn y funud fer
cyn i sbectrwm bywyd
droi yn ddu a gwyn,
a chyn troi fy mhoen
yn gyfres o sylwadau
sy'n araf golli'u lliw
ar ymylon tudalen frau fy nghof.

Rhagluniaeth fawr y Nef

Bûm i'n bugeilio fy nyfodol drud
O ddydd i ddydd, yn ddefaid sioe mewn haid,
Gan droi pob un yn saff, pan ddôi ei phryd,
I gorlan glyd y cof, fel na rôi naid
Hyd ddyffryn eang addewidion bras,
A sarnu'r pridd, a difa'r gwenith gwyn,
Ac atal, drwy ysbeilio'r cnydau glas,
Gynhaeaf melyn y gobeithion hyn.
Ond dianc tua'r mynydd a wnaeth un,
Hyd lethrau serth ansicrwydd, lle mae lloer
Chwildro fy ofn yn pwyso'n drom ar fin
Dibyn di-droi-yn-ôl gwallgofrwydd oer.
Annibynadwy yw y byd, a blaidd
Yfory cudd yn rheibio ŵyn y praidd.

Cennin Pedr

Mae cyffwrdd â nhw yn weithred gnawdol bron,
gan ddwyn i'r cof
fflach min llafn yr heulwen
yn taro'r gwair, ac eco
cŵn yn udo rhwng muriau ysguboriau'r ymennydd.

Mae melynder llaith a llyfn petalau'n gorwedd
fel croen rhwng y bysedd,
a'i sug yn curo'n wyrdd
yn y gwythiennau,
yn gymysg gyda'r gwaed
a welwyd yn rhwd ar gleddyf fel grug ar glogwyn.

Trwy lygad y *stamen*, mae chwyddwydr y gorffennol
yn dod â'n holl funudau angerdd yn ôl
yn rhithiau
sy'n agos yng nghryndod tarth y bore,
ac eto'n bell,
mor bell â'r foment
y lladdwyd Llywelyn,
y llithrodd ei enaid i'r llwydwyll
fel defnyn yn disgyn oddi ar ddeilen.

Mae'r cyfan yno – estyn dy law â'i gyffwrdd,
y bywyd byrhoedlog
sy'n herio am ennyd
ac yna'n crino i'r pridd. Gwasg e
rhwng tudalennau llaith dy ddyletswyddau trwm,
yn emblem o wanwyn didymor
yn nannedd niwloedd yr hydref. Mae'r blodau'n dal
i ddawnsio'n gibddall, yn bypedau'r gwynt.

Hydrangeas

Y pinc gor-binc, y glas calchaidd o las
sy'n crafu'r prynhawn fel sialc ar fwrdd du llynedd.
Y ffordd y maen nhw'n tyfu
mewn gerddi crasboeth, dinesig yn yr haul.
Eu lliwiau papur-tŷ-bach.
Y dail, fel palfau tew ar led sy'n dweud
'rwyf wedi magu gwreiddiau erbyn hyn'.

Hyd yn oed y rhai gwyn – yn rhy wyn, rywsut,
nid gwynder bregus, Siapaneaidd papur
ond gwynder dim yw dim, gwynder absennol,
negyddol, gwag, rhy blydi, blydi boring.

Arwydd o ganol oed yw hoffi *hydrangeas*,
y trafod am y ffordd y bydd y pridd
yn lliwio'r naill yn las, y llall yn binc,
y cynadleddu ar sut mae twyllo natur
trwy rofio calch ar ben eich pridd asidig.

Y dotio wedyn at y ffordd y mae
pob blodyn yn flodyn llai, seren sy'n nythu
o fewn sêr mwy, yn fydoedd perffaith, crwn,
y dwlu ar eu harddwch wrth edwino,
ar enfys syber
y brown, y llwyd, y melyn, gogoniant eu tri lliw ar ddeg.

Telyneg

Os rhoddaf iti gyfrinachau 'nghorff,
fy mronnau'n wyn yn erbyn düwch nos,
a'th dderbyn i gilfachau dwfn fy nghnawd,
a roddi imi ryddid?

Rhyddid rhag teimlo pwysau'th fysedd di
yn llunio rhith rhyw gariad aeth ar goll
ar glai fy nghroen, a rhyddid
rhag blasu'r ystrydebau rwyt ti'n eu hau
o'm cwmpas, fel petaent yn las a phriddlyd;
rhyddid
rhag gwybod
mai dim ond llecyn ar dy ffordd drwy'r goedwig wyf i.

Os rhoddaf iti 'nghyfan, a fyddi di
yn edrych arnaf unwaith, yn ddi-
ffuant, a dweud, 'Rwyf i'n dy garu di'?

Ynfytyn

Rwyt ti'n chwerthin fel y duw Pan,
â'th wyneb yn wybren o deimlad,
wrth i chwaon dy fympwy
ddanfon gwefrau
yn gymylau i wibio dros orwel dy lygaid.

Bob bore,
rwyt ti yno ar gornel y stryd,
fel bronfraith
yn gwylio'r malwod
sy'n ymlwybro at y goedwig goncrit
drwy'r llafnau hir
sy'n cau'r goleuni uwch eu pennau,
a miloedd ffenestri'r fflatiau'n disgleirio
fel yr haul yn taro'r gwlith
ar borfa'r bore.

Yr eiddot ti,
y stryd a'i chyflawnder –
mae cri'r plant
yn diasbedain
drwy lecynnau coediog dy feddwl,
a chyffro'r traffig
yn ffrwydro'n ias o wyrddni
yn un o gorneli ffrwythlon
dy ddychymyg, sy'n cynnwys
y byd ac a breswylia ynddo.

Tra wyf innau'n dy wylio
fel cath
rhwng llenni stiff y parlwr
sy'n siffrwd rhwng fy mysedd
â sisial dail crin –
dy wylio di
yn gwylio'r rhai sy'n sleifio heibio
at ddirgelion y byd mawr
sydd i'w cael yng nghalon dywyll y fforest,
gan adael eu hôl llithrig
i ddisgleirio fel
arian
yn y strydoedd gwag.

Ac ar y ffordd i'r gwaith
rwy'n camu'n ofalus
rhag sarnu
ôl y cyrn
ar lwch y palmant sych.

Y creadur

Rhy hwyr.
Croeshoeliaist dy ysglyfaeth
ar waywffyn llym dy olygon.

Aros.

Gwylio.

Mae rhythm y dannedd yn pori'r gwair
yn cyffwrdd tant yn dy gof,
ac mae tabyrddau'r farwolaeth
yn curo'n dyner yn dy glustiau,
yn cynyddu â chân wyllt dy waed
i sefydlu amseriad y ddawns.

Mor dyner
mae ymchwydd llyfn y cnawd yn chwyddo'r cof.
Mae cofio'r camau'n rhwydd,
mor rhwydd â suddo safnau i gig,
mor esmwyth â llacio'r gewynnau
yn barod am y naid.

Gwyryf yw dy gymar yng nghyfathrach angau,
ond fe ŵyr hithau foesau y ddawns.

Mae ei siglo araf, ar goesau
mor fain â brwyn sych y paith,
yn tincial esgyrn y wledd,
a'r braw sy'n llifo'i llygaid,
yn cymylu dy gof â gwaed,
yn codi fel gwin i feddwi
pwyll dy synhwyrau.

Mae'r goflaid olaf yn ecstasi
ac angau'n anwesu ei chorff.

Ac yn y gosteg
clywn sain
pibau pell yn galw cychwyn gwledd.

Doethineb

Dywedi
yn niriaeth ddi-ddadl
deugain mlynedd dy brofiad
mai sglein arwynebol
papur arian anrheg plentyn
yw'r tarth sy'n codi o'r cestyll hud
a welaf ar y gorwel draw.

Adroddaist
hynt dy bererindod dithau
tua chastell tebyg
yn y bore bach.
Roedd pac gobeithion yn gorwedd
yn esmwyth ysgafn ar dy ysgwyddau,
a thithau â chryman a'i fin yn uchelgais ddisglair,
yn medi llwybr
drwy'r prysgwydd dyrys
i gipio dy wobr
a meddiannu y gaer.

Ymgripiaist
at yr addewid
a chwyrlïai yn golofn o niwl lliw dydd
ac a befriai yn golofn o dân lliw nos
gan ddilyn yn ddall
felodi rhyw awen annelwig
heb sylwi ar y delfrydau yn disgyn fel dail o'th gwmpas,
na gwrando cân ffarwél pob cyfle coll.

Mae adlais aflafar
y felodi'n dy watwar
o gyrrau dy gaer wag,
a thithau yn awr yw'r digrifwas parablus
sy'n wfftio yr ymdrech
wrth farwor marw'r tân.

Dyddiau caethiwed

(i rai o'm cyfoedion, 1977–80)

Dyddiau caethiwed oedd y rhain.
Roedd yr holl fyd yno
yn strydoedd y dref,
a dyddiau'r cerdded
drwy labyrinthau'r strydoedd llwyd
yn gefndir gwastad
i fflach dryloyw
ffilm y dychymyg
tra bod pob cam
yn ein dwyn yn nes at ddim.

Ym meddwdod
prynhawn swrth o Awst,
roedd diogi'n denu,
o ddrysau agored tafarndai'r stryd fawr,
a surni cyffyrddus
blynyddoedd o nosweithiau llawen
yn llwch ar lawr.
Drwy lwydni gwyll y prynhawn
fe greon ni
farrau haearn ein carchar
o fetel tawdd
hanesion difywyd y di-waith,
ein Odyssey pŵl heb wraidd yn y pridd,
atgofion
am ddyddiau ysblennydd
a gollodd eu gloywder eiriasboeth
dymhorau yn ôl.

Yna, mentro i'r cyfnos
a'r awel boeth
yn cribo'r llwch
i gorneli cyfrin y düwch.

Dyddiau twyll y gusan arbrofol,
caethiwed ofni â'r ymennydd ac â'r cnawd,
tra bo'r wefus yn chwilio ffyrdd newydd i garu.
Ninnau'n epilio
ceidwad ein carchar
o eiriau serch.
Plisgyn o gariad
yn cuddio cneuen y blys,
deddf y llwyth
a'n dedfrydodd i syrffed
am ddychmygu mai hyn oedd yn real.
Troi'r gornel, a gweld
Serengeti'r dyfodol
yn bygwth o'n blaen.

Diffeithwch,
lle daw fulturiaid paranoia
i wledda ar friwgig ansicrwydd,
lle mae'n hawdd
syrthio'n ysglyfaeth
i lew
posibiliadau.

Rhyddid paith ein hyfory
oedd yr ehangder
mwyaf cyfyng o'r cwbl.

Dan y ddaear

Wrth i geg y twnnel sugno'r trên
a'i lyncu i wddf cul ei ddüwch,
ro'n i'n gwybod 'mod i wedi codi tocyn
at orsaf na wyddwn i mo'i henw.

Roeddwn i wedi camu'n ddifeddwl ar y trên
gyda haid o deithwyr eraill,
a theimlo grym cynhyrfus y peiriant
yn gyrru'r cerbyd mewn corwynt o lwch
i ruthro heibio
i'r wynebau syn
a adawyd ar ôl ar y platfform
i godi eu dwylo
mewn ystum llipa, yn hanner-ffarwél.

O un i un
fe ymadawodd fy nghydymdeithion;
camu'n bwrpasol
at waith,
at oed,
at fywyd
trwy'r drysau trydan
oedd wastad yn cau'n glep
cyn i mi benderfynu
a oeddwn i'n dymuno'u dilyn.

Fe'm gadawyd i yma
i wylio'r hysbysebion ar y waliau
yn llathru heibio
mewn fflach addewidgar –
Barbados –
nefoedd ar y ddaear,
cipolwg
ar y baradwys bell
cyn i'r trên
gyflymu at y twnnel,
a gwên orffwyll y porthor wrth y giât
yn fy nghyfarch wrth imi gyrraedd o'r diwedd mewn cwmwl o lwch.

Ymwahanu

Ynys wyf i,
un graig
yng nghanol môr o gyrff
yn suddo a boddi
ym mreichiau'i gilydd,
a minnau'n eu gwylio,
un graig
bell
anghyraeddadwy.

Fe ddaethost ti
i'm cofleidio fel ton,
fy nenu
i'r ras wyllt ac ewyn cyffro,
fy nhaflu i'r dŵr
sy'n llamu ac yn neidio.

Unasom
a chreu fflach rhwng dwy garreg,
trydan
fel gwefr
yn nhynerwch y môr o'm hamgylch,
golau
yn syfrdan hyd ffin y glannau.

Yna
gadewaist.

Aethost
fel llanw yn llithro ar drai
oddi ar y graig noeth
gan ymbellhau
yn araf
tua'r gorwel,
dim
ond ton arall
yn syrthio i ddifancoll
mewn môr o donnau.

Heb y sbarc
nid ŷm i gyd
ond cerrig swrth yn gwylio dawns y dŵr.

Breuddwyd y Cymro

Neithiwr, aethost ato,
mor addewidgar ag eirinen aeddfed,
â'th groen cynnes yn goglais ei synhwyrau,
dy freichiau
yn freichiau mam
a'i phlentyn yn sugno llaeth ei bronnau,
a'th dynerwch creulon
yn ei ddenu at gyfamod heb gwblhad –
at y gyfrinach laith
sy'n ei aros rhwng gwres dy lwynau –
allwedd y drws ar Aber Henfelen ei ofidiau,
tir adlais yr alwad am gariad coll.

Heddiw, mae'n deffro i syrthni cymysglyd y cynfasau,
i'r llestri brwnt a naws neithiwr
yn glynu fel hen felynwy ar bob plât;
yn deffro
i ddydd sy'n bydredd cyn ei ddechrau,
a'i niwl gwlyb yn codi o'r palmentydd
fel y drewdod sy'n codi o gelain ei freuddwyd;
yn deffro
i ddydd mor ddigyfaredd
â'r cwrw fflat yng ngwaelod ei wydr.

Bradychaist ef.
Hudoles un nos oeddet ti,
er iti addo ffyddlondeb gwraig; a hwn,
a fu mor ffôl
â chribo amheuon neithiwr
yn bentwr, i'w sgubo
fel llwch dan garped y nos,
heddiw yn cyfri ei obeithion
yn ulw y sigaréts a smygwyd,
a'i angen am dy gusan fradwrus
yn chwant a fydd yn corddi
ac yn chwerwi
ei hunllef heno.

Hunanbortread olaf Van Gogh

Darlun: croesair o golur
yn gynghanedd ar gynfas y gorffennol,
yn ddrych i'r dyfodol
i gofio hanfod
yr hyn oeddwn i.

O do, mi gefais ddyddie fy ngwylltineb;
dyddie haul crasboeth Provence
yn dân ar fy nghroen, boreau'r gwlith
yn ddagrau ar foch y goeden geirios
a ymestynnai ei garddyrnau bregus tua'r asur,
hwyr yr haul
yn machlud fel malwoden dros y caeau gwenith,
a'r nosau o indigo
a drygioni'r ddinas
yn sibrwd o bob stryd.
Bûm widdon wynebau,
bûm ddewin delweddau,
bûm artist.

Ac mae'r cyfan yn dychwelyd at hyn –
yr hud a serennai o'r awyr ar noson o Awst
yn bŵl ym mhyllau'r llygaid,
enfys y ddynoliaeth a wyliais i
yng nghlo yng nghist y benglog,
a'r grym euraidd
a lewyrchai oddi ar gefnfor o ŷd melyn
mor wan
â'r lloffion o farf cringoch
sy'n glynu wrth fy ngên.

Rwy'n ddof.

Ac yn oriel y dyddie i ddod mi fyddaf felly;
y llwynog a galliodd,
y fflam a sefydlodd,
heb arwydd
i chi a ddaw o'r gwae a welais,
heblaw am wewyr y paent yn y cefndir
sy'n ymnyddu am byth
at – beth?

Gwynt y dwyrain

Gwynt y dwyrain – yn llefain heno
a'i sisial yn sacrament
rhwng sgerbydau'r coed.

Gwynt y dwyrain – yn ei awen heno
a'i felodi'n farwnad
uwch beddrod y dail ir.

Gwynt y dwyrain – yn poeri heno
a'i lach yn ddirmyg
ar gefnau y dail du.

Gwynt y dwyrain – yn poeri heno
a'i ddagrau'n rhagrith meddal
yn angladd y pethau byw.

Gwynt y dwyrain – daw gosteg fory
a'r storm yn suddo
yn waed yn y gorllewin.

Diwedd y gân

Diffodd y golau coch –
mae'r gân yn marw ar wefusau'r radio
a'r botwm yn tagu sŵn y blŵs.

Dim ond sibrydion sydd ar ôl.

Dyna'r cyfan sydd eisiau
i erthylu holl sentiment siwgwr y geiriau
sy'n addo bydd serch yn para am byth,
ein gadael ni yma
yn y distawrwydd beichiog
a dim ond adlais y gytgan
yn si-hei-lwli
i'n sgwrs farwanedig.

'All you need is love'.

Yna, gwranda
ar rith melodi'n teimlad ni
yn distewi'n ddisgord,
yn rhywle ble mae radio
yn dal i gyhoeddi
mai cariad yw'r ateb.

Gauloise yw'r gerdd

Gauloise yw'r gerdd –
stwmp inni sugno nicotin y dychymyg,
yn mudlosgi
rhwng bysedd yr ymennydd,
gan ryddhau emosiynau
fel rhuban o fwg glas
i droi yn ehangder stafell y cof,
cyn darfod
a'i daflu
i flwch
yr isymwybod llychlyd.

Wedyn

Daeth y meddyg –
rhoddodd y fodrwy
yn llaw y dyn.

Gorweddai yno –
ei bywyd hi
yn gylch gloyw
yng nghledr ei law.

Duwiesau

Duwiesau Cymru,
duwiesau'r banadl, y deri, blodau'r erwain,
yr esgyrn sychion, ewinedd yn y blew,

nid y chi oedd yn camu trwy 'mreuddwydion
flynyddoedd yn ôl yn fy ngwely hogan-ysgol,

ond mân-dduwiesau llyweth y mynd a'r dod
a gwafrai'n anwadal drwy chwedlau Rhufain a Groeg
yn enfys am eiliad, ac yna yn nant neu'n llwyn,
wastad rhwng dau feddwl a dwy ffurf,
yn plesio rhyw ddyn, yn cuddio rhag rhyw dduw,
yn newid eu henwau a'u hunain fel newid lipstic:
Echo, Eos, Psyche – merched chweched dosbarth
yn chwerthin tu ôl i'w gwalltiau newydd-eu-golchi.

Dod i ddeall eich ffyrdd chi wnes i
yn araf, anfodlon, yn gyndyn fel boddi cathod,
gyda phob clais a welais, pob cusan wag,
pob modrwy yng nghledr llaw, dod i ddeall dicter –
sawru'r gwaed ar y dwylo a gwres y tŷ haearn,
clywed penglogau plant yn glonc yn y gwynt.

Freninesau'r gwyllt, y lloerig, y bobl o'u coeau,
y distawrwydd anghynnes, yr anesmwythyd mawr –
ry'ch chi'n cadw cwmni heno yn nâd y newyddion,
yn stelcio drwy'r stafell yn eich gynau sidan carpiog.
Mae blinder y blynyddoedd yn friw dan eich llygaid
a'ch crwyn yn afalau crychion;

ond mae'r fellten a'r daran yn drydan yng nghwmwl eich gwalltiau,
barclodiad rhyw gawres yn gengl o amgylch eich boliau
a meillion eich dicter gwyn yn dynn wrth eich sodlau.

Ynysoedd gwŷr cedyrn sy'n dymchwel wrth odre eich peisiau.

Aur

Pan o'n i'n ferch, yn ôl y si,
roedd aur o dan ein caeau ni

ac esgyrn dynes yno 'nghudd
mewn gwely tywyll dan y pridd,

a gwir y sôn bod ôl y swch
yn gadael dafnau aur yn drwch

mor fân a main â rhisgl pren
neu'r cwmwl gwallt oedd am fy mhen.

Wfftio wnaeth O, ac yn ein gwledd
fy nwrdio i uwchben y medd,

ac wfftio eto pan ddôi'n ôl
o'r farchnad wedi cael llond côl,

a bathu cleisiau hyd fy nghroen
nes bod fy myd yn ias o boen,

ond canu wnâi yr aur o hyd
mewn bedd dan fryn ym mhen draw'r byd

a rhywsut aeth ein bywyd bron
wrth wrando ar ei hen diwn gron.

***

Y gwŷr bonheddig ddaeth ffordd hyn
a phlannu'u rhofiau yn y bryn

a dweud bod bedd yn llawn o aur
yn ddisglair loyw fel yr haul,

a bod y llygod bach i gyd
yn plethu aur i leinio'u nyth,

a heno mae fy ngwallt yn wyn.
Rwy'n adrodd stori wrthyf f'hun –

am fywyd y frenhines gaed
yn barod at briodas waed,

y sidan coch yn garpiau i gyd
a'i chnawd yn pydru 'nôl i'r pridd

a dim ar ôl i'n llygaid ni
ond baw ac aur lle buodd hi.

Adroddiad

(o'r gyfres 'Rhiannon')

Erbyn hyn, mae'n falch gen i ddeud,
mae'r cyfan yn dechrau dod i drefn;
rwy'n dechrau ymgynefino
ag adareiddrwydd.
(Rwy'n teimlo'n awr, ers rhyw ganrif neu ddwy,
fod hedfan yn dod yn haws. Mae'r cydbwysedd
rhwng yr adain dde a'r chwith wedi gwella
a'r broses o lanio'n esmwythach o lawer.
Aerodynamig. Dyna'r gair.)

Mae'n gam mawr, edrych yn ôl.
Weithiau, bydd y gorffennol
yn gwasgu yn gas ar fy nghylla,
yn fwled drom sy'n llawn esgyrn a blew,

yn enwedig ar nosweithiau o haf –
ar yr eiliad honno, rhwng cyfnos a gwyll
pan fo'r byd yn rhuthr o rwysg adenydd
a bywyd mor fyr â'r cof am lygoden,
yn wich fechan rhwng dau dywyllwch.

Ond bryd hynny mi fydda i'n cofio:
doeddwn i ddim yn leicio'r ffordd
byddai'r gynau sidan pob-lliw
yn glynu wrth fy ystlys yn y gwres
ar y prynhawniau tragwyddol hynny
pan ddodai Llew ei law ar fy nglin.

Ydyn, mae plu yn well o lawer,
yn sych ac ysgafn, fel dail neu flodau.
Dydyn nhw ddim yn dangos y gwaed.
Maen nhw'n haws o lawer i'w cadw'n lân.

Chwedlau

(o'r gyfres 'Rhiannon')

Rwy'n cofio un yn well na'r lleill.

Cogyddes oedd hi.
Gafaelai ei ffolennau bras am fy nghanol
fel pe baen nhw'n trio tylino
cyfog y dyddiau gwag o'm ceg,

ond wrth i'w sodlau erch
daro cleisiau ar fy asennau
estynnai dameidiau o hanes
nes i'm gweflau hesb
lafoerio o eisiau gwybod mwy –

hanesion am famau maeth, am fleiddiaid,
am gariad dieithriaid, plant a aeth ar goll,
chwedlau am bysgotwyr a bugeiliaid
letyai angylion heb yn wybod iddynt –

hanes am frenin un o'r tiroedd tywyll
adawodd blentyn, yn ei glytiau, yn yr eira
â sofren yn ei geg. Cydiai ei bysedd
yn gwlwm yn fy mwng wrth adrodd sut
y magwyd ef gan eirth.

Un noswaith
sleifiodd yr arth a'i blant yn ôl i'r llys.
Poerodd y sofren i gwpan medd ei dad.
Rhwygodd yr eirth eu taid yn dalpiau byw.

Gadewais hi'n bendramwnwgl wrth y porth,
yn sôn am elyrch, peunod, pasteiod, gwinoedd.
Ei geiriau olaf wrth iddi groesi'r rhiniog:
'Fyton nhw'r brenin, efo clofs a rhosmari.'

Diosg

(o'r gyfres 'Rhiannon')

Tynnu ei arfau oedd y ddefod orau.

Disgleiriai'r darnau dur wrth ddiasbedain,
cen wrth gen, i'r llawr.

Diarchenais ef o
deulu, llwyth, cymydau, câr a gwlad.

Cramen wrth gramen, symudais
haenau o'i hanes ohono

hyd y llurig olaf, lle gorweddai
fy llaw yn y gofod tyn rhwng metel a chnawd.

Pwytho

(o'r gyfres 'Rhiannon')

Wrth i ymylon y ffrâm freuo, rwy'n cofio
diwrnod o wyn a melyn, awyr ac aur.

Dôl, blodau, adar. Y borfa'n bali gwyrdd.

Pwythodd rhyw law y ceffyl a minnau i'r llun.
Clywn y nodwydd yn gwanu trwydda i.
Brodiodd y gyrlen ola' yng nghynffon y march
a'n gosod yno, mewn gwe o edau ddisglair.

Aeth canrif heibio. Clywn garnau tu cefn,
ac yna gwaeddodd.

Rhwygodd yr eiliad
fel cleddyf yn llathru trwy sidan.
Llaciodd y pwythau, cerddais
allan o'r darlun, yn syth i lygad yr haul.

Unwaith

Unwaith
yn y tiroedd pell,
yn yr oesau tywyll
roedd brenin
 — brenhines hefyd —
hanai ef o lwyth y ceirw,
hithau o lwyth y cesyg a'r geifr.
Roedd ei chorff yn wyn
fel stremp hir o laeth,
yntau mor braff â chorn.
Priodwyd hwy yn saith mlwydd oed,
byw hanner canrif ynghyd, a magu
deuddeg o blant;
eisteddai hi yn ei siambr yn gweu,
taranai ef yn y goedwig fawr
ac er na charent ei gilydd,
ei wallt ef welai hi wrth nyddu'r gwlân,
ei chroen hi welai ef wrth dynnu'r saeth
o ystlys yr ewig a laddodd —

yn y diwedd,
wedi'r aur a'r efydd a'r gwin lliw gwaed
a'r sidan, a'r llysgenhadon
o'r wlad lle tyfai'r sinsir a'r indigo,
bu farw'r brenin a'r frenhines
a'u cnawd yn gyfrol hir o flynyddoedd —

claddwyd hwy
yn yr un bedd –
hithau ym mantell ledr y cesyg,
yntau, yn ôl defod llwyth y ceirw,
â chyrn am ei ben:
rhai gwydn fel dur;

a disgynnodd y glaw ar eu bedd.

O werth y croen

Gwerth croen ych, ei nerth gwydn: wyth geiniog.
Gwerth croen hydd: wyth geiniog.
Gwerth croen buwch, flith, hufennog: saith geiniog.
Gwerth croen ewig: saith geiniog.

Croen dafad, a gafr, iwrch neu iyrchell: ceiniog yr un.
Gwerth croen cadno: wyth geiniog.
Gwerth croen dyfrgi, ei wybod am byllau'r afon: wyth geiniog.

Gwerth croen blaidd: wyth geiniog.
Gwerth croen belau, y manflew disglair: pedair ceiniog ar hugain.

Gwaith porthor y brenin: taenu crwyn
y creaduriaid a laddwyd ar lawr llys.
Yn dâl am hyn: ceiniog y croen.

Am sarhau porthor y brenin: chwe buwch,
cant ac ugain o geiniogau arian gloyw.
Eu llygaid, eu safnau, eu dannedd, eu crafangau.

Deall goleuni

(er cof am yr arlunydd Gwen John)

Weithiau, ar bnawniau Sul, a'r golau'n oer
mae hi'n gweld ei hwyneb am yr hyn ydi o –
yr haul yn ysgythru esgyrn ei chernau,
a chylchoedd y blynyddoedd dan ei llygaid.

Ben bore, yn yr offeren
 – a'r lleill wrth eu pader mewn byd sy'n llawn goleuni –
mae hi'n syllu ar y plygion
yng ngwempl y lleian o'i blaen.
Sut gall lliain gwyn fod yr un lliw â llwch?
Neithiwr, wrth wawl y lamp, gosododd
dorth o fara a chyllell ar y bwrdd,
a chyn bwyta, codi ei phensel.

Heno, bydd hi'n gorffen y braslun,
yn tynnu llun y gath a'r gadair simsan.
Gŵyr y bydd gwallt y ferch sy'n plygu tua'r golau
yr un lliw â diferyn o waed sy'n araf sychu.

Yn nhŷ fy mam

Yn nhŷ fy mam y mae llawer o drigfannau,
parlyrau sy'n ddawns o awyr a goleuni –
y llestri te ar y lliain yn barod
a'r llenni ar agor i ddangos golygfa
o'r môr, heb 'run llong. Coridorau
brown, tywyll sy'n dirwyn am filltiroedd
ar filltiroedd i'r unlle, cyn gorffen, yn ffwr-bwt,
mewn sgyleri lle mae'r llestri yn simsanu ar y silffoedd,
a'r pibau yn grwgnach a rhefru yn flin.
Grisiau sy'n chwyrlïo i lawr, lawr, lawr
heibio lluniau o'r teulu ar y welydd ffloc
– Sbia, dyna Nain! Mae 'na wenci rownd ei gwddf hi! –
nes iddyn nhw gyrraedd y man drwg hwnnw,
y seler sy'n llawn o esgyrn llosg,
o benglogau plant fel plisgyn wy.

Heno rwy am ei fforio hi i'r stafell folchi,
antarctig bychan o wydr a marmor.
Rwy 'di bod 'ma o'r blaen, i chwarae gyda'r sebon,
ei saethu trwy fy mysedd
er mwyn llithro gadael
llwybr malwen o ddagrau, gan feddwl yn ddistaw bach:
Os llwyddaf i roi fy mhen dan y tap
bydd drip-dripian y dŵr yn gwella fy nghlwy.

Rwy 'di dod i'r tŷ hwn bob nos ers yr angladd,
wedi cerdded a dawnsio a chrwydro trwy fannau
â'u daearyddiaeth yn newid ar adenydd y gwynt.
Rwy'n dwlu ar y gegin gefn, ar y ddreser
sy'n gwlffyn solet o dderw du,
yn debycach i dorth o fara brith na dodrefnyn,
ac enw fy ewythr wedi'i naddu i'w hochr.
Mae'r cŵn tsieini Stafford
yn sefyll fel sowldiwrs uwch y platiau gleision,
a'u llygaid yn eirin surion o genfigen.
Weithiau, os ydw i'n lwcus, mi wnân nhw siarad â mi:
Mae hi newydd adael. Mae hi yn y coridor.
Newydd ei cholli hi dach chi! –
ac mi wela i gip ar odre ei sgert.

Un tro, anghofia i fyth, mi es i i'r parlwr,
ac roedd hi yno, yn eistedd mewn cadair ger y tân.
Estynnodd ei llaw, llaw fechan, llaw telynores,
â'r bysedd yn hir, yn fain ac yn wyn.
Plethais fy mysedd i i'w bysedd hithau.
Ddywedwyd yr un gair. Embaras llwyr
i ni gael ein dal yn cymdeithasu yr ochr draw i'r llen.
Heddiw wn i ddim sut gadewais i'r stafell.
Rwy'n chwilio amdani bob tro yr af yn ôl.
Weithiau, mae'r stafell yno, weithiau 'dyw hi ddim.
Weithiau, mae ei chwpan a'i soser ar y bwrdd.
Weithiau, mae'r tân yn lludw oer, llwyd.

Injan wnïo

Bwrdd o bren
sy'n agor mas
fel cwpwrdd consuriwr
a'i ddroriau'n llawn dirgelion
am fam-gu fu farw cyn fy ngeni,
gan adael y cypyrdde bach yn gau fel coden sy 'di bwrw'i hadau.

Mi fydda i'n symud y teledu weithiau,
yn agor y caead, byseddu'r bylchau
lle gorweddai'r rîls cryno o gotwm a sidan,
y patrymau, y papurau piniau
– fel petawn i'n chwilio am rywbeth
y noson goll honno, falle
– sy'n chwarae ar deledu fy nychymyg
yn y parlwr cefn yn y pentre glo
pan stemiai'r Singer yn injan loyw,
y plât yn canu dan ei throed,
cols eirias ei thwymyn yn cymell y peiriant
i bwytho, dartio, a chrychu
i deilwra brethyn hir ei chariad
yn bethau bob-dydd – crysau a phants
(anghenion gaeaf dau grwtyn)
cyn i'r pwythau beidio â chydio.

Ie,
y noson honno
y radio'n chwarae Family Favourites,
y defnydd yn ufudd a llyfn dan ei llaw,
yr olwyn yn llathru, y llinyn yn sicr a thyn.

Plu

Mor anodd yw hi i bwyso a mesur plu.
Rho flaen dy fys i'w cyffwrdd,
eu treiglo rhwng dy ddwylo,
un anadl sydd ynddynt.
Chei di ddim eu swmpo;
eiliad neu ddwy'n chwyrlïo
a diflannant ar dafod y gwynt
i luwchio yn nhaflod rhyw drosbont.

Crynant yno
ar bared y nos,
mor dawel, mor gyhuddgar,
a gyda'r wawr ehedant
o un i un, gollnodau brith
drwy'r awyr lwyd. Uwch traffyrdd a hen gaeau
heidiant yn rhugl,
sisial eu cwils yn islais taer
i'w llafar wrth iddynt ffrwydro
yn gawod ddisglair hyd y strydoedd

a gorwedd, er eu gwynder,
mor swmpus yn eu hamlder,
mor ddiymwad sylweddol
â dur, â choncrit, â glo.

Imbolc

(Gŵyl y Santes Ffraid sy'n dynodi dechrau'r gwanwyn)

Hi yw'r un
sy'n curo'r drws
rhwng cwsg ac effro,

llaethes gynnes
sy'n estyn yr haul i'th dwymo,
yn tywallt blithged i dy gwpan de.

Drwy'r nos buost yn breuddwydio
am goelcerth a'i fflamau'n dafodau hir
o gotwm, o sidan, o waed.

Dim ateb.
Mae'n gosod y botel
yn glewt ar y rhiniog.

Rhwng neithiwr a heddiw,
clyw ei cherbyd yn brefu hyd y stryd
ar hwrdd o drydan.
Yn y gegin gefn mae'r llaeth glas
yn ias o rew ar dy dafod.

Blodyn

Un swrth yw Sharon. Un bigog, un grin
sydd wedi plygu amdani hi'i hun
yn blisgyn di-ildio, brown
fel rhisgl
castanwydden ola'r hydref.

Mae rhai yn dweud bod ei gwên yn hardd
er yn brin – yn wir, mae'n harddach
o fod fel dŵr mewn anialwch,
ond y gwir amdani yw
na welodd neb ei phetalau gwiw
ers blwyddyn neu ddwy.

Ond rhowch ddiferyn iddi
ar y diwrnod iawn, ym mis y tywydd mawr –
deigryn, neu jin, neu law taranau,
ac mi ffrwydrith yn llond cwpan o rosyn gwlithog
sy'n troi ei hwyneb llyfn tua'r llif
ac yn sugno'n hy o lygad y storm.

Bywyd llonydd

Saffrwm porffor
a'i dafod mor felyn â chanol wy Pasg;
goleuni'r gogledd
yn ias o iâ
ar y mwg enamel gwydn.

Ti yw fy llun o Holand:
yr agen fach sy'n gollwng goleuni,
gan droi pob dim
yn gyffredin o ddiarth.

Chwedl eira

Cleciodd y gynnau mawrion am y tro olaf
a disgynnodd distawrwydd ar y caeau, ar y coed, ar y môr –
syrthiodd o'r awyr yn araf, fel plu eira,
yn oer a dieithr, i losgi ar dafodau plant.
Sut beth oedd eu heddwch hwy? Bananas yn swllt a chwech,
sanau neilon, Nain yn dawnsio? 'Choelia i fawr.
Awel lem yn chwipio'u bochau'n fflam hwyrach,
ôl sgidiau hoelion ar yr anialwch gwyn,
dwylo yn gafael yn y dieithrwch gwlyb i'w fowldio
yn beli a chesig eira, yn sarnu y powdwr tlws.
A phan ddaeth y sêr i bigo cydwybod eu dydd
a'r lloer i oleuo corneli tywyll y nos,
rhedasant ar hyd y lôn at y tegell a'r tân,
yn bell, bell o faes eu chwarae a'u chwerthin.
Disgynnodd y glaw fel bwledi ar y gwair, ar y llaid,
ac ar y gwastadedd mawr
doedd dim yn weddill o'r wyrth
ond pyllau budron ac ambell hances boced wleb.

Sut beth yw ein heddwch? Bananas ym mhob siop,
sanau sidan, pawb yn dawnsio? 'Choelia i fawr.
Eistedd a gwylio'r eira'n dadmer, hwyrach,
a throi rhag y ffenest, yn ôl at y tegell a'r tân.

Llatai

Anwylyd, anfonaf latai atat –
neges-beth yn syth at y galon,
lladmerydd anllythrennog fy nheimladau
a'i hunan yn llawn huodledd dieiriau.

Ond mae cymaint o bethau yn y byd;
p'un fyddai'r dewis gorau?
yr un sy'n crynhoi yr holl ddyheadau,
Yr union beth?

Gwylan?

Caseg?

Hydd?

– neu flodyn, efallai?
Draenen wen, neu rosyn, neu gactws –
rhywbeth braidd yn bigog
sydd â'r ddawn i flodeuo 'run fath.

Na.

Anfonaf handbag atat:
sgrepan llawn syfrdan
sy'n ddryswch o drugareddau.
Lapiaf fy llythyr mewn croen.

Ei gynnwys:

syrfiét, a syniadau am gerdd,
mintysen boeth iawn (rhag ofn y daw cusan),
plaster (rhag ofn y daw codwm).

Rhifau ffôn pobl anhysbys,
hosan, a'i chaddug sidanaidd
yn gryf a llithrig rhwng y bysedd.

Cyllell, ac ynddi arf at bob peth
ond yr allwedd sy'n agor dirgelion.
Yn y boced, pumpunt a pesetas o Sbaen.
Yn y boced â sip, pwy a ŵyr?
Yn y gwaelod un, dim ond gwallt a llwch.

Anwylyd, anfonaf hon atat
– sach sy'n llawn fflwcs anghymharus
fydd yn llafar eu sôn amdanaf
– a byrdwn eu cleber fydd:
Gwna fenyw o'r pethau hyn!

Caneuon heb eiriau

Rwy'n nabod bachgen sy'n gwrando ar ganeuon heb eiriau
bob noswaith yn ei stafell las,
mae'n clywed cestyll yn dymchwel a dinasoedd yn boddi
rhwng y piano a'r gitâr fas.

Rwy'n nabod merch sy'n gwylio hen ffilmiau,
yn cau y llenni ac yn diffodd y llun,
mae hi isio'i rhoi hi ei hun
yn lle Bette Davis a Lauren Bacall
ac yn lle y du a'r gwyn, gweld y sgrin
yn gusanau i gyd.

Rwy'n nabod bachgen sydd yn byw ar y lleuad,
mae e'n hedfan trwy y gofod bob nos
a llwch yr Arth Fawr yn arian byw yn ei wallt
pan ddaw e o'i grwydro'n ôl;
mae e'n meddwl ei fod e'n gawr,
yn arwr ddaeth i achub y byd.

Rwy'n nabod dyn sydd yn dringo'r grisiau
wedi iddo ddiffodd y nwy,
sy'n gwrando ar y radio – Gwasanaeth y Byd –
yn clywed hanes ei fam a'i dad
rhwng y bwletin newyddion a'r canu gwlad,
dyn sy'n gwybod bod hiraeth fel yr eira
yn gynnes ac oer, yn gariad i gyd,
dyn sy'n codi fore trannoeth ac yn agor y llenni
ac yn gweld fod 'na rew ar y stryd.

Cylchu

Un diwrnod collodd cloc Big Ben bum munud pan
glwydodd haid o ddrudwennod ar fys mawr y cloc.

Pe bai'r drudwennod sy'n chwyrlïo
Yn drobwll hedegog uwch y prom,
Mewn cylchoedd sy'n tynhau o hyd,

Yn fuddai sy'n corddi ein munudau,
Beth fyddai'n digwydd i'n dyddiau?

Beth petai curo'r adenydd,
Unplygrwydd yr adar a'u nod, yn swyn

A roddai inni'r pum munud bach
Sy'n brin yn ein bywydau,
Y pum munud a addawn o hyd
I'n cariadon a'n neiniau a'n plant –

A beth petai'r munudau hynny'n troi'n freuddwyd am hedfan,
Yn gysur pluog o berthyn,
Yn nerth gwybod ein pwrpas,
Yn din-droi at ryw nod?

Hanner fy enaid

(Winnie Mandela)

hanner calon
hanner curiad
hanner gwraig
hanner cariad

hanner mam
hanner plentyn
hanner menyw
hanner morwyn

hanner cân
hanner nodyn
hanner gweddi
hanner emyn

hanner anthem
hanner cwynfan
hanner uffern
yw fy mhurdan

hanner codi
hanner bywyd
hanner disgyn
penyd, penyd

hanner addo
hanner credu
hanner gofyn
hanner crefu

hanner marw
hanner llofrudd
hanner cymun
hanner bedydd

hanner twyll
a hanner brad
gwerin gyfan
llai na gwlad.

Gweithdy

'Mae hi'n debyg i gragen
– i blisgyn wy
– i belen ping-pong
– i gwpan blastig mas o beiriant coffi
– i lythyr gan gefnder y'ch chi heb ei weld ers meitin.'

Dyma ni, grynwyr, yn estyn llond dwrn o anadl
o law i law. Tu ôl i'r llygaid cau
mae'r meddwl sy rhyngom ni yn fawr fel rhewlif,
a'n bysedd yn sgrialu i gydio, rhywsut,
yn hanfod y dieithrwch hwn
cyn troi, a'i dywallt i gawg y dwylo nesa' –

minnau fel blaidd yn sbio rhwng fy mysedd
i weld wynebau'r plant, eu llygaid stŵn,
a'r syniad hwn sy'n symud trwy'r distawrwydd
fel adain fawr sy'n curo môr o olau,

a gweld
eu bod nhw'n deall, nawr,
mai penglog boda yw'r rhisgl hwn sy'n debyg
i fyrdd o bethau, yn dywyll ac yn olau –
cragen o falwen wedi pig y fronfraith,
y pant mewn cae sy'n dal y rhew a'i gadw;
dyrnaid o dywyllwch sy'n disgwyl cannwyll;
anrheg fechan mae arnaf ofn ei hagor,
amlen o asgwrn heb stamp, heb un cyfeiriad.

Cartref y bardd

Tŷ yw hwn sy'n tynnu goleuni,
sy'n plygu ei egni gwyn
yn gynfasau o haul sy'n gorwedd
hyd y grisiau a'r llawr.

Mae'n malu'r awyr, yn taflu disgleirdeb
yn flanced flêr am y soffa a'r stof,
ei dasgu'n rhubanau gloyw sy'n taro
y teils a'r tapiau'n y gawod
cyn gwneud ei wâl ar lawr y cyntedd.

Yn y stydi mae'r cyfan yn dywyll
– y bleinds wedi cau eu cegau'n glep
rhag clebran hanes nos Sadwrn y dref;
syniadau athronwyr a beirdd balch y byd
yn cysgu rhwng cloriau cardbord
wrth hen emynau yn dew ar y piano.

Ac ar y ddesg, sgrapyn o bapur
sy'n llai na hances plentyn
yn feddal, fud, ddieiriau,
yn disgwyl.

Yn ei blygion mae'r byd.
Mae'n gorwedd yno. Mae'n disgwyl gwaed.

Galvanic

'Dyw'r un o'r ddau –
nid y gweinidog tecnoffobig
na'i ferch agnostig –
er gwaethaf ei gwersi ffiseg,
yn deall y meicrodon.

'Dy'n nhw ddim yn deall o ble y daw'r gwres.

'Mae'n debyg i ffydd,' medd y ferch –
'Mae'n ddi-sŵn,
yn ddioglau,
yn ddi-liw,
ac eto, rhywsut, mae'n newid pethau.'

Ac mae'n wir.
Mae rhyw rym anweledig
yn chwarae mig â'r molecylau
nes trawselfennu pysgodyn a thorth
yn god mewn briwsion crenslyd, poeth.

Y drafferth yw, mae cymaint o reolau.
Rhaid tyllu crwyn pethau croen-drwchus,
rhaid amddiffyn crwyn pethau croen-denau,
ond NID gyda ffoil, neu fel arall
bydd y cyfan yn ffrwydro neu'n chwythu'i blwc.

Mae'r ddau yn sefyll ar drothwy'r Nadolig
yn syllu'n ddiddeall ar y wyrth.

Dyma ei breuddwyd: rhyw noson
daw adre'n hwyr. Yn y gegin
daw'r unig oleuni o fol y ffwrn
lle mae taten bob yn pirwetan drwy'r gwagle,
yn disgwyl y ping terfynol, pendant.

Ar bob plât, ar y bwrdd, ar y cownter,
ar ben y bin bara, ar y ffrij, ar y llawr,
arlwyodd ei thad y wledd –
pwdin yn emog o gyrens a cheirios,
llifeiriant o gwstard,
Teitanic o dwrci,
llond Eden o lysiau gwyrdd.

Dan lygad treiddgar yr ynni gwyn
mae'n tynnu ei chadair ac yn dechrau cymuno.

Glas

(er cof am Derek Jarman)

Crwban o ddyn ar y bocs. Mae ei groen
yn gynoesol, hynafol o hen, fel pe bai
rhyw wynt poeth wedi ei ysu yn blisgyn,
yn rhisgl heb sudd a heb sawr.
Crwban o ddyn heb gragen, sy'n hercio
ei ben yn ddi-ddal tua'r camera
i weld ydi'r byd yn dal i fod yno.

Mae arna i gymaint o eisiau cyffwrdd ag e –
estyn, rywsut, i mewn i'r teledu,
a llyfnu'r cawgiau dan ei lygaid â'm bawd,
gosod blaen bys ar femrwn ei foch
a dweud un 'diolch' yn dawel

– am sidan syberwyd, am sglein,
am bowdwr a phaent, am boen,
am emau, am olau cannwyll,
am rawnwin, am fefus, am win,
am felfed, am wres anadl,
am ormodedd, am orawen. Am oreuro
du a gwyn y sgrin ag enfys ei weld –

llithrodd y lliwiau o un i un
a dim ond glas sydd ar ôl nawr, glas
sy'n las go iawn, fel yr awyr neu'r môr,
y mwg sy'n troelli o ffag cynta'r bore,
petrol ar hewl wedi cawod o law,
y cwdyn halen yng ngwaelod bag crisps –

ond glas sy'n las hefyd
fel clawr ffeil, fel sgert nyrs,
fel gŵn 'sbyty, fel gwythïen,
fel min cyllell, fel hen glais,
fel graean yng ngweflau llanw ar drai,
fel y lliw sydd rhwng y meirw a'r byw,
fel y gwydr caled sydd rhyngom ni'n dau.

Nan

Bydden ni'n cyfri'r dyddiau cyn iddi gyrraedd
– mis
– pythefnos
– diwrnod

tywod amser yn ymestyn fel y Gobi o'n blaenau

cyrraedd tra oedden ni'n cysgu fydde hi
ar y bws nos o Lundain yn y bore,
hogle ei sigaréts
fel aur, thus a myrr ar y landin

'Peidiwch â deffro Nan – ma' jet-lag arni!'

Ninne'n berwi y tu allan i'w stafell,
yn llawn swigod o gyffro, fel dŵr
sy'n mynd i dorri'r argae unrhyw funud,
ffrydio at erchwyn ei gwely
a'i boddi mewn trobwll twym o freichiau.

Ei chês
yn llawn trysorau o Sbaen a Phortiwgal –
ceffyl bach oren â chlustiau melfed,
haid o siocledi siâp pysgod
yn ddiferion llithrig rhwng ein bysedd.

Yn y prynhawn, ym mhen draw'r ardd
bydde Nan
yn paentio calonne ar fy moche gyda lipstic,
yn plethu llygaid y dydd yn fy ngwallt,
daban diferion o Tabu y tu ôl i'm dwy glust
('Paid dweud wrth dy fam'),
ro'n i'n hardd
er 'mod i'n dew ac yn gwisgo sbectols.

Nan yn sgorio gôl yn erbyn Tomos
er mai Spurs oedd e a Cwmtwrch Athletic oedd hi.
Gorwedd ar ei chefn yn y glaswellt wedyn
yn chwerthin fel triog melyn
a'i llygaid yn bell
ar orwelion eraill.

Llithro heibio

Mae hoglau glân ar yr Almaenwr ifanc
sy'n pwyso dros y ford, hoglau fforestydd
ac eira sy'n disgleirio yn yr haul
fel darnau mân o wydr wedi'i dorri,

ac mae'r ddinas
yn llathru heibio inni ar yr U-Bahn
ar olwynion llyfn mae rhywun wedi'u oelio
a 'dan ni'n gwybod
fod popeth yn mynd i ddigwydd fel y dyle fo,

ac wrth olau cannwyll 'dan ni'n sôn am ryfel
ac yn edrych i'n pelen hud
i weld pobl sy'n byw y tu draw i'r eira –
tynnu lluniau o'r Gwlff ar y lliain ford
a defnyddio'n napgynau
i ddynwared safle'r tanciau,
ac wrth olau cannwyll mae'r nos yn llithro heibio
yn chwim, fel plentyn sydd newydd ffeindio
ei fod o'n medru sglefrio.

Yn y dre heddiw
mi welais i ddyn
yn tynnu gwydr,
doedd o'n sugno dim ond awyr
a'i droi o'n freuddwyd i gyd,

ac ar y brigau noeth mae ei gylchoedd gwydr yn
crogi
a'u lliwiau yn borffor ac aur,
mae rhyw gyfrinach yn eu gwneud
sy'n rhy ddrud i mi eu prynu,
sy'n rhy frau i'w cludo adre i Gymru,
a 'dan ni'n llithro heibio wrth olau cannwyll
ac mae'r cledrau yn hynod o syth,
yn llithro heibio ar olwynion wedi'u oelio,
yn llithro heibio am byth am byth am byth ...

Sgubo

Am ryw reswm rhyfedd
'does yna nunlle i adael eich bagiau yn stesion ganolog Belffast.
Felly, wrth aros trên
ar bnawn Sul eciwmenaidd ei ddiflastod
rhaid oedd bugeilio'r darpar fom,
ei warchod yn ddefosiynol
— rhag ofn i'w gynnwys peryg ffrwydro
gan daenu deg pâr o deits du
i chwifio mewn modd catholig
dros doeau defodol
y ddinas gydenwadol.

Ac wrth i'r glaw ddechrau gollwng
bwledi meddal o ddŵr
i danio dawns
ar y to tun,
sylwais fod gennyf gwmni,
— dyn ifanc, mewn dillad du,
wrthi yn sgubo sbwriel nos Sadwrn o'r llawr.

Fe'i gwyliais, gan gredu i ddechrau
mai bygwth budreddi,
alltudio anhrefn
oedd byrdwn y symudiadau sydyn,
nes deall
fod gwanu herciog y brwsh
yn dangos ysfa fwy na'r angen
i glirio llanast pobl eraill.

A phan ddaeth y trên,
ddwyawr yn ddiweddarach,
a'r llawr, ers meitin, yn lanach na chrys nos lleian,
roedd o wrthi o hyd yn sgubo
llwch dychmygol dan garped anweledig.

Cyn y don nesaf

(dolffin ym Mae Ceredigion)

Chwilio'r bae â llygaid blin, a gweld
Ystwyll ar ganol ha' yn Aberystwyth

– Epiffani, noson o roddion rhyfeddol
a'r pnawn yn pefrio fel papur anrheg plentyn –

Dylan Eildon, baban yr haul a'r heli
yn chwerthin yn dy grud, dy wely gwyrdd
heb fam i suo'th ddagrau ond y tonnau.

Ninnau, yr annoethion, yn nesáu
i osod ein hanrhegion ger dy fron –

ffydd, gobaith, cariad yn gyfnewid
am ennyd o ddiniweidrwydd cyn y don,

cyn y don nesaf.

Cawl

Nid cerdd am gawl yw hon –
nid cerdd am ei sawr, ei flas, na'i liw,
na'r sêr o fraster a'i gusanau poeth
ar dafod sy'n awchu eu hysu.

Nid cerdd am gawl yw hon,
am frathiad o foron tyner,
am sudd yn sugnad safri hallt,
na'r persli'n gonffeti o grychau gwyrdd.

Dim ond cawl oedd e wedi'r cyfan
– tatws a halen a chig a dŵr –
nid gazpacho na chowder na bouillabaisse
bisque na velouté neu vichyssoise.

Nid cerdd am gawl yw hon
ond cerdd am rywbeth oedd ar hanner ei ddysgu –
pinsiad o rywbeth fan hyn a fan draw,
mymryn yn fwy neu'n llai o'r llall
– y ddysgl iawn, llwy bren ddigon hir –
pob berwad yn gyfle o'r newydd
i hudo cyfrinach athrylith cawl.

Nid cerdd am gawl yw hon o gwbl –
nid cerdd am gawl, nac am ddiffyg cawl:
dim oll i'w wneud â goleuni a gwres,
y radio'n canu mewn cegin gynnes
â lle wrth y bwrdd.

Defnyddiol

Ys gwn i beth ddigwyddodd i hen fenywod fy mhlentyndod?
Eu hetiau ffwr, eu llyfrau emynau parod,
a'u cariad yn wasgfa boeth
o frethyn cras a brotshys pigog?

Gwingwn a llithrwn o'u gafael
a chusan y frôtsh yn glais ar fy moch.
Y tu ôl i'w ffws a'u hanifeiliaid marw
roedd oglau tristwch yn biso sur.

'Cariad yw cariad,' dwrdiai fy mam,
'beth bynnag fo'i hoglau,
waeth pa mor bigog.'

Er hynny, cerais
a chefais fy ngharu –
cariad cysurus, weithiau,
yn llac a chynnes fel hen gordyrói;
cariad arall fel llenni net
sy'n dangos mwy nag a guddiant;
un cariad fel brathiad rhaff
a ysai ac a losgai fy nghnawd.

Dyma'r cariad a garwn;
cariad sydd fel cynfasau
o liain Iwerddon, gant y cant,
eu gwead yn llyfn a chryf
heb oglau arnynt ond glendid a phowdwr;
cynfasau â digon o afael a rhuddin,
cynfasau na fyddant yn ildio pwyth
pan glymaf nhw'n rhaff hir gwyn at ei gilydd,
eu taflu o'r ffenest, a diflannu i'r nos.

Cartwnydd gwleidyddol

Dechreuodd y cyfan â haniaeth,
llinell yn clwyfo erwau o bapur gwyn
a'r düwch digyfaddawd yn datgan:
'Dacw'r fan acw; dyma'r fan hyn'.

Trodd llinell yn gylch. Yn ei goflaid lluniaidd
archwiliwyd y gofod
rhwng 'hwnt' ac 'yma',
'tu fewn', 'tu fas',
a 'du' a 'gwyn'
– a'r cyfan hyn
yn wyddbwyll athronydd
heb berthyn i'r byd.

Magodd cylch wyneb – bochau, a thrwyn
hwy na'r cyffredin.
Trodd haniaeth yn ddiriaeth, daeth
beirniadaeth yn rhan o'r patrwm.

Fe'u daliwyd.

Clai gwlyb y crochenydd,
siafins y saer,
cynnen cartwnydd – dydi creu
ddim yn beth taclus. Mae geiriau'n
wamalach na phridd, llinellau'n
fwy coeg na choed. Fe'u saethwyd.

Tafod lleferydd

Llygad y ffynnon
y ffrydio cynnar,
rhuthr y geiriau gwyllt,

parabl y dŵr
rhwng caregos y nant,
sŵn defaid didaro
yn deintio'r borfa,

ac yna'r siffrwd rhwng brigau'r coed,
bysedd gwyrdd y chwyn
yn archwilio ystyron prynhawn o haf,

y cerrig yn y ffrwd, y patrwm
sy'n ei gwneud hi'n bosibl – efallai –
i gamu i'r ochr draw

at yr iaith fel afon
sy'n dy sgubo ymlaen at rywbeth mwy –
y noson ddu ddiffiniau, yr halen
yn grwst ar dy wefus.

Llawdriniaeth

Arogl diesel yn y maes parcio
yn cleisio'r nos. Sŵn tanio sigaréts
yn datŵ ar y tywyllwch. Hoffai
pe bai hi'n bwrw glaw,
pe bai e'n gallu smygu.

Un ar ddeg o'r gloch, a heno
mae dynion mewn mygydau'n gwisgo menig latecs,
yn gwirio cyllyll a llieiniau,

yn dechrau ar eu defod wyrdroëdig
yn eu gynau glas
dan y golau gwyn.

Heno byddant yn datgelu calon ei dad,
yn stilio gyda'u llafnau,
yn pilo 'nôl
y we o ffilamentau

sy'n grud
i'r gneuen fach
na welodd e erioed.

Rhwng dau olau

Tyrd am dro i'r parlwr tywyll,
rwyf wedi hwylio'r bwrdd at de;
mae'r aeron coch a'r llestri tsieina
yn barod yn eu lle.

Cawn wledd o fara gwyn a menyn cartref,
jam eirin duon bach mewn dysgl fain,
ac yn y stafell fwll lle mae ein bwrdd ni
mae'r cloc yn cerdded 'mlaen.

Mae'r trugareddau ar y silff ben tân yn disgwyl,
y dydd yn araf ddirwyn hyd y glyn,
a'r haul yn bwrw cysgod y cwpanau
dros y lliain gwyn.

Dere at y bwrdd, fy machgen glân i,
– mae llond y lle o gaws a theisen gri.
A weli di'r ddau dderyn bach sy'n esgyn, esgyn
uwchben ein briwsion ni?

Willow Pattern, 1979

Y prynhawn tragwyddol
yn suddo i geudwll yr hwyr

wrth inni ddisgwyl y canlyniadau yn nhŷ Nain.

Yn y tir neb rhwng gobaith ac anobaith
mae 'Pisyn, pisyn' yn canu ar radio y gegin,

a ninnau'r teulu'n un anadl gaeth,
yn methu ag edrych ar y teledu
hyd yn oed trwy fangorwaith o fysedd

ac yn hoelio'n sylw felly ar y ddresel
sy'n gwegian dan ei baich o lestri gleision
sydd mor estron, ac eto mor gyfarwydd:

Nid du a gwyn i ni'r Cymry, na
– dim mor amrwd â hynny –
ond dau sy'n ffoi o hyd dros y bont,
y gŵr blin a'i bastwn gam neu ddau ar eu hôl,
wastad ar fin eu dal
– y coed anhygoel eu siâp
yn sibrwd bod
dihangfa, falle, ar y gorwel –

y stori, bob amser, ar ei hanner.

Cowbois

Wedi i'w wraig farw
eisteddai yn yr ystafell fyw
â'i gefn at y ddresel.

Y golau yn pylu
wrth i'r haul fachlud.
Dim iws cynnau'r trydan –
tynnai'r nos
yn garthen amdano.

Digon y goleuni
o'r sgrin fach.
Cysgodion o ddynion,
weithiau yn ddu a gwyn,
weithiau
mewn Kodak SP
a halai wyneb pob cowboi
i edrych fel tanjerîn.

High Noon parhaus
oedd e gyda'r nos

ac yn ei gwsg
roedd y trên newydd gyrraedd,
y dyn yn y crys du yn troi
yn troi
yn troi
i'w wynebu yn y llwch.

Cadwraeth

Rho dy bethau i lawr, i ddechrau. Tynna
dy sbectol bob-dydd, diosg dy fodrwy briodas
os wyt yn gwisgo un. Rho'r oriawr i'r naill ochr.
Cyn cychwyn, cofia lanhau dy ddwylo gyda'r hances
o bapur arbennig, gan dalu sylw manwl
i flaenau dy ewinedd a'th fysedd, cledr dy law.

O'r diwedd cei di gychwyn. Teimla'r belen gotwm
cyn dechrau clirio'r paent yn dawel fach.
Dim sŵn i'w glywed ond y dabo dabo
mor amyneddgar rhwng y brown a'r gwyrdd
nes cyrraedd yr *impasto* tua'r gwaelod.

A dyma ti yn dod at y peth anhawsaf
wedi dy daith trwy'r enfys, cyrraedd gwyn.
Ond y mae yna rywbeth gwaeth na hyn:
y cynfas di-liw, noeth sy'n disgwyl
dy sylw. Dyma'i dro i weld golau dydd.

Llen

A'r glaw yn pigo bwrw ar y traeth
mae'r fam yn gosod y lawlen,

yn rholio'r plygion o blastig clir
dros gwfl y bygi,
ac wrth iddi eu sythu
mae'n chwarae gêm â'r mab bach;
ei llaw yn cyffwrdd â'i anadl ar y llen,
ei law yn seren fôr sy'n ateb 'nôl.

Y glaw yn cipio ei gwynt
a slefren noethlymun ei chariad bron â'i mygu –
y teimlad tryloyw hwn
sy'n mynnu ei golchi yma a thraw, ar drai
heb angor na glanfa.

Coedlan ym Middelharnis

(gan feddwl am ddarlun Meindert Hobbema)

Yr eglwys ar y bryn a'i thŵr pot-pupur,
llond llaw o adar gwyllt ar gastell sboncio'r gwynt,
y ferch mewn capan gwyn sy'n dal pen rheswm
â gŵr mewn ffrog-gôt goch a bandolîr;
y rhesi tal o goed, fel brocoli ar goese,
yn ddrych i'r hwylbren uwch y clawdd a'i sôn am ddianc.

Hwn yw ei hoff lun. Tra bydd pig yr haearn
yn mynnu plygion yn y crysau gwyn,
ei chyllell bŵl yn crafu sbarion pestri
o waelod cyndyn tun,
mae'n cerdded trwy'r olygfa, heibio'r ddrysfa
o ddail lliw siocled tywyll dyrys, du
yr ochr draw i'r holl berllenni perffaith,

ar hyd y rhychau lle mae'r llaid a'r llaca
yn cydio yn ei sodlau, ac mae'n baglu
tua'r cysgodion sydd ym mhen draw'r llwybr,
yr heliwr gyda'i wn sy'n dod i gwrdd â hi,
y dim, sy'n digwydd
drosodd a throsodd a thro.

Chwilio

Teimlo'n fach fel morgrugyn.
Mynd allan i'r coed
i weld a wyt ti yno.

Mae olion i ti fod yma:
marwor y tân
yn dal i fudlosgi.
Yr adar yn swpera
ar friwsion y dorth,
y plât brwnt;
mynyddaf dros y pethau enfawr yma.

Methu gweld dim
heibio powlen fel cefnfor.
Dim modd dweud
a yw'r brigau ar lawr
yn pwyntio at rywle penodol.

Bûm yn chwilio amdanat wedyn
rhwng yr hen drolis siopa
yn y meysydd parcio lle mae'r glaw
yn gyrru'n gynt na'r ceir,
yn y twneli sy'n arwain dan y ffyrdd
at barciau lle mae'r siglenni
yn crogi'n gam, a thalp o faw ci
(sut?) ar y si-so.

Weithiau, rwy'n meddwl fy mod i'n dy weld di
mewn ambell i ddeilen
ar ambell i goeden
sy'n taflu ei breichiau tua'r awyr,
yr
ambell
bwll o ddŵr
sy'n adlewyrchu
rhywbeth mae'r cymylau yn ei wneud.

Datblygiadau

'Tydw i ddim isio dy golli di,' medde fo
a hel ei draed am Thrace. Felly,
er mwyn dod o hyd i mi eto
gadawodd fi
mewn lle dirgel
yn eistedd ar garreg
ar y traeth.

Rhoddodd gamera yn fy
                    nwylo
a deud wrtha i
am ei ffilmio fo a'r hogia'n
                    gadael tir.

Bob bore, deffrown o fyd dieithr
i wlad newydd. Er seiniau'n
cartref, codwn o'r newydd
i ymlid gorchwylion.

Golchodd yr ewyn
odre fy ffrog.
Doedd ei long o'n ddim ond
                    atalnod yn
                    y pellter,
roedd y môr wedi cyrraedd
                    hyd fy ngwddf

a'r ffilm wedi gwlychu.

      ***

Dwi wedi tyfu crach
fel hen long sy 'di bod
yn yr harbwr yn rhy hir.
Mae fy sgwyddau yn drwm
                    gan wymon
ac mae trawstiau yn gwegian
wrth imi drio cofio dy enw.
                    O, ie,
roedd gen i rywbeth i'w ddweud wrthat ti.
Weli di'r we pry cop 'ma sy 'di
                    tyfu rhwng fy nghoesau?
Sbia. A'r mwswg
sy'n brodio fy nghedor? Sbia!
A'r pysgodyn aur sy'n chwarae mig
trwy wacter fy mhenglog. Sbia
                    arna i, wnei di?
Sbia arna i.
Cara fi.
Wedi'r cyfan, ti wnaeth fi.

Diwallu

Pe bai dy gof, fy nghariad, fel rhyw len
O ddŵr diderfyn, heb orllewin, de,
Gogledd, na dwyrain chwaith; heb iddo ben
Ond dyfnder ar un tu, a'r llall, y ne' –
Mi fedret fadde 'nghreulonderau i gyd,
Y dychan dianghenraid, y dywediadau
Chwim, difeddwl; eu gwylio'n troi yn fud
A syrthio i ddifancoll du y tonnau.
Ond gan mai cyfyng yw y cof, a'r don
Ar draethell lom ein heddiw'n mynnu taflu
Broc y gorffennol, ni wnâi'r weilgi hon
Ond llyncu poen y nawr i'w chwydu fory.
Gadawaf gwch fy ngh'wilydd i'th drueni
I suddo'n ddim i eigion dy dosturi.